Madame
Poipoi

Monsieur
Henri

Gino
Marto

Rémi
Lepoivre

Adrien
Dubouchon

Mélanie
Lano

Tom-Tom et Nana

Ben ça, alors !

scénarios : Emmanuel Guibert
D'après une oeuvre originale
de Jacqueline Cohen, Evelyne Reberg (scénarios)
Bernadette Després (dessins)
Catherine Viansson Ponté (couleurs)

Marie-Lou
Dubouchon

Yvonne
Dubouchon

Nana
Dubouchon

Tom-Tom
Dubouchon

© Bayard Éditions Jeunesse, 2004
ISBN : 2 7470 1712 5
Dépôt légal : juin 2005
Droits de reproduction réservés pour tous pays
Toute reproduction, même partielle, interdite
Imprimé en Pologne
Les aventures de Tom-Tom et Nana sont publiées
chaque mois dans J'aime Lire,
le journal pour aimer lire.
J'aime Lire, 3 rue Bayard, 75008 Paris

La vérité sur Tom-Tom et Nana

Il faut qu'on en parle !

Qu'on s'explique !

- NOUS TOUT !

CACHEZ-NOUS RIEN !

Les manifs sont interdites à l'heure des repas !

On a du travail ! Filez dans votre chambre !

Non, non, non, C'est trop facile !

Vous répondez à nos questions, même si elles vous gênent !

Mais qu'est-ce que vous voulez savoir, à la fin ?

DITES-NOUS TOUT !

CACHEZ-NOUS RIEN !

Dis-le toi !

Non, toi, vas-y !

CAC NO RIE

Eh bien, euh ... voilà ! On veut savoir si on est vraiment frère et soeur !

Quoi ?

Hein ?

Mais bien sûr que vous êtes frère et soeur ! Quelle bête question !

C'est pas une bête question ! Suivez-nous, vous allez voir !

Monsieur Henri ! Madame Poipoi !

Qu'est-ce que vous voulez, les bouchons ?

On veut la VÉRITÉ ! Levez la fourchette et jurez de la dire !

DITES-NOUS TOUT !

CACHEZ-NOUS RIEN !

On le jure !

Il y a quelque chose à gagner ?

7

325-5

Tom-Tom et Nana : Ben ça, alors!

Ah! Ce que vous pouvez m'énerver!

Attendez... Écoutez-moi tous!

Les enfants, vous ne vous ressemblez pas beaucoup, c'est entendu...

Mais toi, Tom-Tom, tu ressembles beaucoup à ta maman...

C'est vrai!

Et toi, Nana, tu es le portrait craché de ton papa...

Hélas!

Eh bien? Ça prouve que je suis le fils de maman...

Et moi la fille de papa...

Mais pas qu'on est frère et soeur!!

11

325-7

Et si on n'est pas frère et soeur, je ne vois pas pourquoi on doit partager la même chambre !

Ni partir toujours en vacances ensemble !

Oh ! Misère !

Mais dis-leur, toi, Yvonne, qu'ils sont bien frère et soeur ! C'est toi la mère !

Dis-leur toi-même, Adrien ! C'est toi le père !

Hem...

Excusez-moi... je vous écoute depuis un moment...

Mon pauvre monsieur !

Vous voudriez déjeuner, sans doute ?

Certes, certes... Mais j'ai aussi une solution à votre problème.

Tom-Tom et Nana : Ben ça, alors!

Je me présente! Je suis le professeur "SHETLAND", généticien!

C'est quoi, ça, généticien?

Cela veut dire, mes enfants, que je peux sans erreur vous dire si oui ou non, vous êtes frère et soeur!

Ah!

Super!

Seulement, pour cela, il faut procéder à un petit examen. Relevez vos manches s'il vous plaît!

Pourquoi?

Je vais vous faire une prise de sang à chacun, avec mes belles seringues!

Hein?

Pas question!

CACHEZ-NOUS RIEN!

DITES-M' TOUT!

Ensuite, j'analyserai votre sang et nous saurons si vous êtes de la même famille!

Au secours!!!

PAF!

PAF!

13

325-9

Tom-Tom et Nana : Ben ça, alors !

Allons, revenez ! Ça ne fait presque pas mal !

JAMAIS !!!

Je ne veux pas que vous piquiez ma petite sœur chérie !

Laissez tranquille mon frère adoré !

Aaaah ! Merci, professeur, vous nous avez sauvé la vie !

J'ai dû mentir un peu pour cela. Je ne suis pas généticien, mais vétérinaire.

Et maintenant je mangerais bien quelque chose !

CLAC !

FIN

Personnages créés par Jacqueline Cohen, Évelyne Reberg, Bernadette Després, Catherine Viansson-Ponté. Scénario : Emmanuel Guibert. Dessins : Bernadette Després. Couleurs : Catherine Viansson-Ponté.

la péristoire

(327-1)

C'est des fouilles pour trouver des objets du temps où il y avait des dinosaures dans le quartier!

Et qu'est-ce qu'on cherche, comme objets?

Tout! Des pots de yaourt, des outils, des montres!

PING!

Mais les dinosaures, ils mangeaient pas de yaourts!

Et ils avaient pas de montres, ils savaient même pas lire l'heure!

Les dinosaures, non! Mais les Français qui chassaient les dinosaures, oui!

Moi, j'aimerais mieux qu'on cherche des trésors!

PAF!

327-3

Déjà? J'ai trouvé un truc très TRÈS VIEUX!

Fais voir!

Regardez, c'est marqué "CASSOULET À L'ANCIENNE".

C'est quoi du cassoulet?

Moi je sais... C'est un plat avec de la viande et des haricots... Papa en fait tous les mardis!

Oui, mais sur celui-là, il y a marqué "À L'ANCIENNE"! Ça veut dire que c'est péristorique!

Passe la boîte! Il y a une date dessus! On va bien voir!

Peuh! Non! C'est pas péristorique! C'est du mois dernier!

Oh!

La prochaine fois vérifie avant de me déranger!

Tom-Tom! Viens voir!

PAF!

En creusant, j'ai tapé dans un tuyau et il y a de l'eau qui sort!

Génial!

Creusons tout autour de la fuite, on aura une piscine!

Tom-Tom, c'est dur de creuser parce que ça fait de la boue!

Stop! On va enlever nos vêtements sinon, on sera tout sales!

19

327-5

Tom-Tom et Nana : Ben ça, alors!

Eh bien moi, je fais encore mieux ! Je trempe un bâton dans la boue...

... Et je dessine un chat !

Moi, je dessine un cheval !

Et moi, un tigre !

Et moi, des bonshommes !

Elle est pas belle, notre peinture à la boue ?

Trop belle !

327-7

Tom-Tom!
NANA!!

À quoi vous jouez ?

Qu'est-ce que c'est que cette tenue ?

On n'a pas sali nos habits !

Juste un peu nos culottes !

Petits sauvages!!

Adrien, regarde! Ils ont percé la canalisation d'eau!

Misère! Voilà pourquoi on n'a plus d'eau au restaurant!

!?!

327-B

22

327-9

Tom-Tom et Nana : Ben ça, alors!

Je les observe depuis un moment. Ce qu'ils font est extraordinaire!

!!!!

En jouant, ils reproduisent exactement le mode de vie des premiers hommes!

Ne bougez pas d'ici! Je vais chercher des caméras de télévision! Le monde entier doit voir cela!

Laissez-nous, papa et maman. On doit continuer nos fouilles!

FIN DE CHA

Pfff!

Et comment je vais faire le cassoulet de midi, moi, sans eau?

FIN

Personnages créés par Jacqueline Cohen, Évelyne Reberg, Bernadette Després, Catherine Viansson-Ponté. Scénario : Emmanuel Guibert. Dessins : Bernadette Després. Couleurs : Catherine Viansson-Ponté

Tam-Tam et Nono

Les garçons en fille...

...et les filles en garçon.

Quoi ?

C'est rigolo!

J'aurai un cigare, une barbe, une casquette et un verre de bière!

Pas question que je me déguise en fille!

PcHiiITT!

Je vous préviens : si vous ne changez pas de thème d'ici samedi je quitte la maison !!!

27

(329-3)

Tom-Tom et Nana : Ben ça, alors!

Et ce petit bonhomme, qui c'est?

Ma parole, c'est Nana!

Je m'appelle Nono!

Où est ton frère?

Elle veut dire ta sœur!

Tom-Tom n'a pas voulu se déguiser. Il boude dans sa chambre.

On ne va pas le laisser bouder un jour pareil!

Allons le chercher!

29

329-5

30

Tom-Tom et Nana : Ben ça, alors!

GRRR...ÍMÉNERVÍMÉNERVV ÍMÉNERV!!!

BLAM!

C'est décidé! Je quitte cette maison débile!

Et pour ça, je vais enfiler ma panoplie d'HARRY POSTER!

HARRY POSTER
A L'ÉCOLE DES POSTIERS

Je passerai au milieu des ennemis sans me faire remarquer!

On verra bien s'ils rigoleront toujours, quand ils verront qu'Harry Poster a disparu!

Tom-Tom et Nana : Ben ça, alors !

329-9

Tom-Tom et Nana : Ben ça, alors!

Personnages créés par Jacqueline Cohen, Évelyne Reberg, Bernadette Després, Catherine Viansson-Ponté. Scénario : Emmanuel Guibert.
Dessins : Bernadette Després. Couleurs : Catherine Viansson-Ponté

329-10

Lucien! Reviens!

331-3

Tom-Tom et Nana : Ben ça, alors!

39

(331-5)

Tom-Tom et Nana : Ben ça, alors !

Qu'est-ce qu'ils font, tes parents, comme métier ?

Euh... mes parents ?

Ils ont un grand restaurant à la mode !

Elle exagère...

Ça s'appelle "La fourchette de diamants" !

Là, elle ment carrément !

Glong !

Ils ont vingt cuisiniers et cinquante serveurs !

N'importe quoi !

Les plus grandes stars de cinéma mangent chez nous !

Dis, si on assommait Marie-Lou, plutôt ?

Oui, elle m'agace !

Hé, hé... Ça marche ! Je l'impressionne !

J'oserai jamais sortir avec une fille comme ça !

331-7

Tom-Tom et Nana : Ben ça, alors!

Et toi, tes parents, qu'est-ce qu'ils font ?

Euh... écoute, laissons tomber!

Mes parents, ils tiennent la baraque à frites de la plage!

? ?

Alors, toi et moi, ça ne peut pas coller! On n'est pas du même monde!

Mais... Lucien...

Pfff! Hi, hi, hi!

Génial!

331-8

331-9

Tom-Tom et Nana : Ben ça, alors!

Vous avez l'air plus sympa que votre grande sœur! Suivez-moi! Je vous offre une saucisse-frites à chacun!

Ouais!

Après, on ira faire un château de sable!

Il est cool, Lucien!

FRITES

Finalement, il serait un bon copain pour Marie-Lou!

On va tâcher d'arranger ça!

FIN

Personnages créés par Jacqueline Cohen, Évelyne Reberg, Bernadette Després, Catherine Viansson-Ponté. Scénario : Emmanuel Guibert.

Rémi raconte

Au début des temps, on ne pouvait pas savoir la couleur des gens, ...

... parce que tout le monde était très poilu!

Les filles aussi?

Et tout le monde habitait au même endroit!

Où ça?

En Afrique!

Et puis il s'est mis à faire très très chaud en Afrique!

PFOU!

ÇA COGNE!

333-2

46

Pour se tenir chaud, ils ont moissonné les rayons du soleil et ils les ont mélangés à leurs poils!

Toc! Toc!

C'est comme ça que les gens du Nord sont devenus blancs avec des poils blonds!

J'suis pas un gens du Nord, moi!

333-4

48

D'autres ont décidé d'aller vers le soleil levant !

AAAAAH!

À force de marcher avec le soleil en face, ils sont devenus jaunes avec les yeux bridés !

Des Samouraïs !

D'autres encore sont allés vers le soleil couchant, tout rouge, et sont devenus Peaux-Rouges !

Des Indiens !

Gnagnagne...

49

333-5

Tom-Tom et Nana : Ben ça, alors!

Comme la nuit était très épaisse, en ce temps-là, ils se sont taillé une peau dedans!

CLAC! CLAC! CLAC! CLAC!

Le lendemain matin, protégés par leur peau de nuit, ils ont mieux supporté le soleil!

BEN VOILÀ! ON A TROUVÉ LA SOLUTION!

COOL!

Et les trous qu'ils ont faits dans la nuit pour se tailler des peaux...

...Vous savez ce que c'est devenu?

QUOI?

Non!

PAF!

333-7

Le soir même...

Tic, tic, tic,...

Qu'est-ce que tu fais, Tom-Tom?

J'essaie de découper la nuit, mais ça ne marche pas!

Tu voudrais être noir?

Ben oui! Pour essayer!

Moi, ce qui me plairait, ce serait d'être très poilue comme les premiers humains!

333-9

Tom-Tom et Nana : Ben ça, alors !

T'imagines toutes les blagues qu'on pourrait faire cachés sous des longs poils !

Hé, hé ! Personne ne nous reconnaîtrait !

GRARRR !!

Dis, Nana, tu crois que les étoiles c'est des trous dans le ciel, découpés par des ancêtres africains ?

Bien sûr ! Tu connais une autre explication ?

FIN

Personnages créés par Jacqueline Cohen, Évelyne Reberg, Bernadette Després, Catherine Viansson-Ponté. Scénario : Emmanuel Guibert. Dessins : Bernadette Després. Couleurs : Catherine Viansson-Ponté.

333-10

Mamma Marto

Et enfin, Mamma, voici les enfants ! Maria-lou Tom-Tom et Nana !

Ma ! Qué j'adore les bambini !!

Qu'est-ce qu'on vous sert, madame Marto ?

Absoloument **rien !!**

J'ai apporté dé quoi faire oune bonné pizza ! C'est vous qui allez être servis, vous allez voir !

PAF !

PAF !

Gino ! Où est la couisine ?

Par ici, Mamma !

335-3

Maintenant, la pâte doit sé réposer!

Ouf! Nous aussi!

RRROOONZZZZZZZ!

RRROON Pichchch!

RRR Pffiiiiü!

R RRR RRR...

J'entends des ronflements!

Au moins, ils ont cessé de taper!

Dites donc, les Dubouchon...

Quand est-ce qu'on déjeune?

On a les crocs!!!

Mes pauvres amis! Vous n'êtes pas près de manger! On m'a chassé de ma cuisine!

61

335-7

63

335-9

Tom-Tom et Nana : Ben ça, alors!

Jé rajoute les tomates, l'houile, lé fromage et lé sel...

Jé les mets au four...

Et voilà la bonne pizza dé Mamma Marto !!!

Bravo Mamma !

grrr...

CLAP! CLAP!
CLAP! CLAP!
CLAP! CLAP!
CLAP!
CLAP!
CLAP!
CLAP!

Dis, papa, on ouvre une pizzéria? C'est beaucoup plous amousant!

GRRR! Je rends mon tablier!

Adrien!

FIN

Personnages créés par Jacqueline Cohen, Évelyne Reberg, Bernadette Després, Catherine Viansson-Ponté. Scénario : Emmanuel Guibert. Dessins : Bernadette Després. Couleurs : Catherine Viansson-Ponté.

La peau des fesses

337-1

Papa! Maman! C'est épouvantaable!

Qu'est-ce qui se passe?

Vous savez ce qu'il va y avoir, en face?

Mais dis-le, à la fin!

Une grande brasserie!

Aÿaÿaÿïe!

On est fichus!

C'est quoi, une brasserie?

Un restaurant comme nous!

Sauf qu'il va être plus grand!

Plus beau! Plus neuf!

Bouhouhou! On va perdre tous nos clients!

Allons, Yvonne! Courage...

337-3

Tom-Tom et Nana : Ben ça, alors!

Le lendemain...

Vous êtes fermés les Dubouchon?

FERMÉ POUR TRAVAUX

Oui, pour travaux!

On vous prépare une Bonne Fourchette plus grande, plus belle, plus confortable!

Ils seront finis quand, vos travaux?

Dans deux semaines! Pour l'instant, si vous voulez, partagez notre gamelle!

Bof!

Pour la réouverture, on offrira un grand repas à tout le quartier!

Ah! ça, c'est bien!

On prévient les gens!

FERMÉ POU

337-5

Tous ces efforts vont me coûter la peau des fesses!

Allons, Adrien! Courage...

Prends exemple sur les enfants! Vois comme ils nous aident!

C'est vrai!

Les chers anges! Ils n'ont jamais autant travaillé!

C'est qu'ils l'aiment leur Bonne Fourchette!

Cette fois, Nana, fini les gaffes et les bêtises!

Oui! Notre survie est en jeu! On doit soutenir papa et maman à fond!

337-6

70

Deux semaines plus tard...

La grande brasserie va ouvrir demain, nos travaux ne sont pas finis et nous n'avons plus un sou !

Et il y a ce satané repas à préparer pour tout le quartier !

Ils sont désespérés !

T'inquiète pas ! J'ai une idée !

Et la nuit venue...

Chut ! Pas de bruit !

CLAC !

71

337-7

337-9

Personnages créés par Jacqueline Cohen, Évelyne Reberg, Bernadette Després, Catherine Viansson-Ponté. Scénario : Emmanuel Guibert. Dessins : Bernadette Després. Couleurs : Catherine Viansson-Ponté

Le Beau Bar

Moi, je suis le barman et vous, les clients!

Où tu vas?

Je reviens!

HA! HA! Il a piqué le costume de Gino!

Tchao! Tchao!

CLAC!

Bon! Je vais derrière le bar et vous, vous commandez!

D'accord!

Alors? Qu'est-ce que je vous sers?

T'es où? On te voit pas!

Moi non plus, je vous vois pas!

On est trop petits!

Tom-Tom et Nana : Ben ça, alors!

339-3

Allez! À trois, j'y vais! Un... Deux... Attends!

Il faut mettre un truc au bout du bar, sinon tu tombes dans le vide!

Ah zut! J'y pensais pas!

Peu après...

Voilà! Avec des tables et des coussins, ça devrait aller!

On a une chouette piste d'envol et une chouette piste d'atterrissage!

Pétibulle

79

339-5

Attendez, je vais le boire!

Berk! C'est pas bon!

J'ai une idée pour éponger!

Je mets le gilet de Gino en travers du bar...

...Je m'assois dessus et vous me poussez!

Plus vite! Plus vite!

On fait ce qu'on peut!

339-7

Je glisse à peine !

Et nous, on dérape sans arrêt !

C'est pas une très bonne idée, le jeu du bar, hein ?

Moyenne !

Bon, alors on arrête ! Je vais ranger les tables !

Rémi, tu retrouves le bouchon et tu rebouches le champagne !

Oui !

Nana, tu rapportes le costume de Gino dans son placard !

Oké !

339-9

Tom-Tom et Nana : Ben ça, alors !

C'est la première fois qu'ils sont sages... depuis... depuis...

HA HA HA !

Depuis que le monde est monde !

Il faut fêter ça ! Yvonne, ouvre la bouteille de champagne !

Pour faire les choses dans les règles, je vais enfiler le gilet de Gino et je vous sers une tournée générale de ce que vous voudrez, les enfants !

On ne veut rien !

On va jouer dehors !

?

FIN

Personnages créés par Jacqueline Cohen, Évelyne Reberg, Bernadette Després, Catherine Viansson-Ponté. Scénario Emmanuel Guibert. Dessins : Bernadette Després. Couleurs : Catherine Viansson-Ponté.

La moto d'exercice

Tom-Tom et Nana : Ben ça, alors!

(341-3)

341-5

Il est bête ce vélo !

Oui ! Un vélo qui ne va nulle part, c'est triste !

Et puis surtout, il va tuer papounet !

Malheur !

J'veux pas que papounet meure ! J'ai pas fini de décorer son dessous-de-plat !

Du calme !

Il faut trouver un moyen de lui faciliter le pédalage !

Et si on rajoutait un moteur ?

Mais oui ! Pas bête !

Il ne nous reste plus qu'à en trouver un !

Viens, je sais où...

341-6

Tom-Tom et Nana : Ben ça, alors!

341-7

Tom-Tom et Nana : Ben ça, alors!

341-8

92

Tom-Tom et Nana : Ben ça, alors!

Vous, allez me démonter ce moteur immédiatement! Et le rapporter où vous l'avez pris!

Mais papounet! C'était pour t'aider!

Puisque c'est ça, je lui décorerai pas son dessous de plat!

Et moi, je lui offrirai plus jamais de cendrier!

Peu après...

?

Alors? D'où sortait-il, ce moteur?

De la moto là-bas!

341-9

Personnages créés par Jacqueline Cohen, Évelyne Reberg, Bernadette Després, Catherine Viansson-Ponté. Scénario : Emmanuel Guibert. Dessins : Bernadette Després. Couleurs : Catherine Viansson-Ponté.

Tom-Tom et Nana

T'es zinzin si t'en rates un !

 ☐ N° 1

 ☐ N° 2

 ☐ N° 3

 ☐ N° 4

 ☐ N° 5

 ☐ N° 6

 ☐ N° 7

 ☐ N° 8

 ☐ N° 9

 ☐ N° 10

 ☐ N° 11

 ☐ N° 12

 ☐ N° 13

 ☐ N° 14

 ☐ N° 15

 ☐ N° 16

 ☐ N° 17

 ☐ N° 18

 ☐ N° 19

 ☐ N° 20

 ☐ N° 21

 ☐ N° 22

 ☐ N° 23

 ☐ N° 24

 ☐ N° 25

 ☐ N° 26

 ☐ N° 27

 ☐ N° 28

 ☐ N° 29

 ☐ N° 30

 ☐ N° 31

☐ N° 32

☐ N° 33